un petit livre

Nénuphar et Picotin

Illustrations de Romain Simon

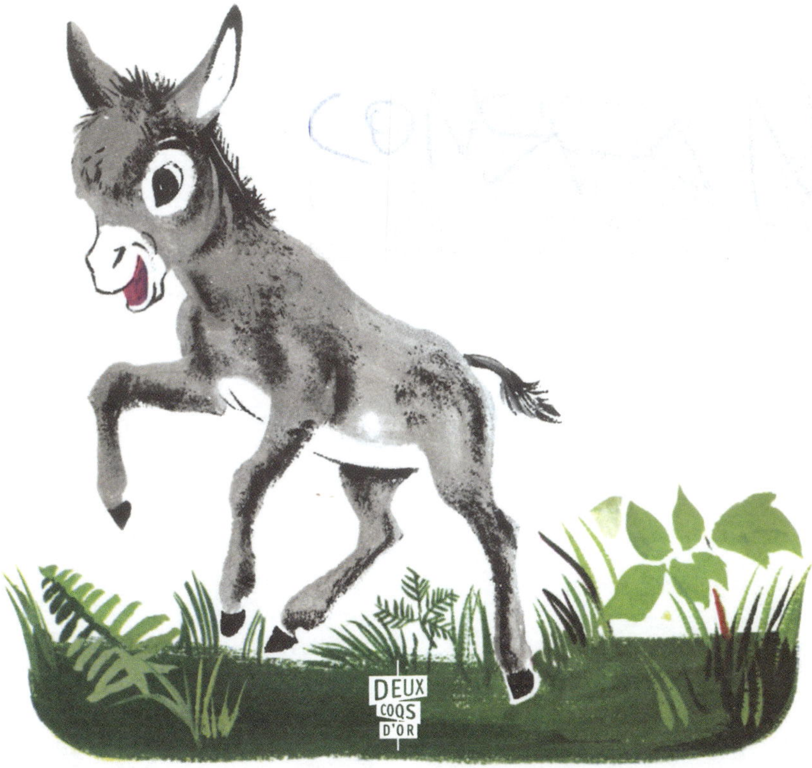

DEUX COQS D'OR

« À quoi pourrions-nous jouer ? » se demandent
Pauline et Jean, assis sur leur petit ânon
Picotin. Soudain, ce dernier a une idée.
« Montons dans le grenier, dit-il. Nous trouverons
sans doute quelque chose pour nous amuser. »

Nénuphar, qui dormait
tranquillement, est soudain
réveillé par un bruit étourdis-
sant. C'est Picotin qui tire
une vieille armoire.

Et voici le vieux meuble
qui descend lentement,
tandis que Nénuphar
se balance avec élégance.
Jean s'écrie : « Mes amis !
J'ai trouvé ! Avec cette
armoire abandonnée,
construisons une auto-
mobile et nous ferons
une belle promenade. »

Après une journée de travail, l'auto est
enfin fabriquée. Il y a des roues et… il y a
des pneus. Il y a aussi un volant et une manivelle,
et un vieux moteur dans lequel Picotin verse
le contenu d'un grand seau d'eau.

Et on tire, et on pousse, et on fait des efforts
pour gravir une longue côte, car le moteur,
hélas, ne fonctionne pas très bien.

Soudain, c'est la descente !
Et devant deux hérissons étonnés,
le bolide roule et cahote, tandis
que Nénuphar, le pilote, s'écrie,
très fier : « En route pour
le tour du monde ! »

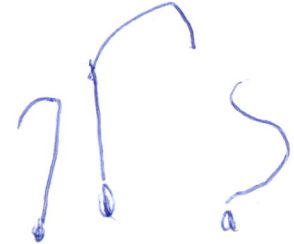

Une vache, qui passait par là, beugle dans son langage : « Attention, jeunes imprudents ! »

Mais l'auto file toujours et les passagers ont peur. Ils voudraient s'arrêter. Comment y parvenir ?

Patatras ! Une barrière vole en éclats ! Quel bruit,
dans ce champ où tout était si calme !

Dame chèvre s'élance et, très en colère, fait faire trois petits tours en l'air au chimpanzé imprudent. Les cornes piquent et les sabots frappent le pauvre Nénuphar.

Après avoir joué dans le pré, tous les amis se réunissent pour déjeuner, à l'ombre d'un pommier. Mais l'écureuil est très gourmand et les lapins sont bien malins. Et la vache croque le pain doré du déjeuner !

Picotin a eu tort
de s'approcher d'un
gros taureau. Mais
il saisit un linge
rouge et le fauve
bondit aussitôt.

Vous savez
que cette couleur
rend furieux
tous les taureaux.

Et Picotin, habilement, se place devant l'étable. Emportée par son élan, l'énorme bête s'y précipite, tandis que l'ânon referme la porte sur le prisonnier étonné.

« Pour être tranquilles,
dit Pauline, installons-nous
donc sur cet arbre. »
Et l'on démonte l'automobile,
et l'on hisse la vieille armoire.

Une vache bien aimable
aide même Picotin
à rejoindre ses amis.

Les beaux oiseaux, quittant leurs nids, volent dans
le feuillage et font un merveilleux concert.

Voici l'heure de la baignade et, dans le petit lac tout bleu, Picotin fait des cabrioles. Nénuphar, toujours acrobate, transforme l'armoire en plongeoir.

Le petit singe s'enfonce
dans l'eau transparente, mais
il est peu rassuré, car il ne sait
pas bien nager.
Heureusement, des poissons
qui se promenaient lui offrent
très aimablement de le
reconduire au rivage.

« Au revoir, petits poissons !
Merci bien de m'avoir aidé. »
Un cygne glisse doucement
et balance avec élégance son
cou au-dessus de l'eau.
« Monte sur mon dos, petit
chimpanzé ; n'aie pas peur,
car je sais bien nager. »

La pluie tombe à torrents,
et l'armoire, retournée, fait
vraiment un abri parfait.

Il faut déjà partir, hélas ! mais le moteur refuse toujours de fonctionner. Picotin pousse de toutes ses
forces, et soudain l'auto roule et dévale vers la rivière
où elle s'enfonce. « C'est un bateau ! » crie Nénuphar.

Un vieux drap en guise de voile et une branche
pour grand mât, l'armoire naviguera très bien !

La nuit tombe, et les étoiles brillent dans le ciel.
Ah ! qu'il est amusant de voguer doucement sur
la rivière par ce beau soir d'été !

Quel retour triomphal ! Lorsque la vieille armoire revient au village, ses passagers joyeux sont accueillis par des applaudissements. Bravo, les aventuriers !